Jakob
og
Joakim

Jakob og Joakim
© Gyldendalske Boghandel
Nordisk Forlag A.S., 1965.
Tekst og tegninger af Jørgen Clevin.
18. 0plag
Trykt hos Nørhaven Book A/S
Printed in Denmark 2001
ISBN 87-00-50741-5

JØRGEN CLEVIN

Jakob og Joakim

GYLDENDAL

6

Jakob og Joakim bor på Blomstervej nr. 14.
Hvor bor du?

Vil du hilse på Jakob?

Så tryk på dørklokken
med din finger og sig:
dingelingeling.

14

»Goddag,« sagde drengen, som kom
frem i døren, »så du, hvem det var,
der ringede på?«

»Nå – det var dig!
Hvad hedder du?«

»Det var morsomt.
Jeg hedder Jakob. Jeg går altid
med rød skjorte og blå bukser
og seler.«
Hvad har du selv på?

»Du kunne ikke se mig før,
for jeg var inde i huset
og snakke med Joakim.«

»Har du sagt goddag til Joakim?«

»Hvis du banker på ruden
med din finger og siger:
banke på
banke på
så kommer han nok ud.«

13

»Goddag,« sagde elefanten.
»Var det dig, der bankede på ruden?«

»Hvad hedder du så?«

»Jeg hedder altså Joakim.
Jeg sad inde i huset og snakkede
med Jakob.
Vi snakkede om fødselsdagsgaver.
Det er nemlig min fødselsdag
i morgen.
Så bliver jeg 7 år.«

1 2 3 4 5

Venstre
hånd

Kan du tælle til 7?
Prøv en gang.
Prøv om du også kan tælle til 10.

Hvornår er det din fødselsdag?
Hvor mange år bliver du så?

Højre
hånd

»Vil du høre, hvor mange ting jeg ønsker mig til min fødselsdag?« spurgte Joakim.

»Jeg ønsker mig:
en stor sæk med grønt græs,
fire røde gummistøvler,
en blå hat,
men allermest en
skoletaske.
Jeg skal nemlig i skole i
morgen.
Hvad ønsker du dig til din
fødselsdag?«

»Nu kan vi ikke snakke sammen mere. For jeg skal i seng.
Klokken er 7.
Hvad tid går du i seng om aftenen?«

»Jeg vil skynde mig at sove, for når jeg vågner i morgen tidlig, er det min fødselsdag.«

»Vil du være sød
at slukke
lyset?«

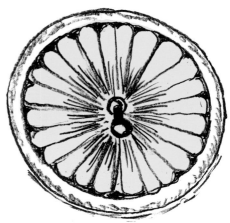

tak fordi du slukkede –

GODNAT

Da Joakim var faldet
i søvn, fik Jakob travlt
med at pakke
fødselsdagsgaver ind.
Hvad tror du, Joakim
skal have?

Klokken 7 næste
morgen gik
Jakob ind for at
sige godmorgen
til Joakim.
Hvornår står du
selv op?

Jakob holdt
spanden med
vand, mens
Joakim børstede
tænder.

Bagefter vaskede
Joakim sine ben –

og til sidst
vaskede han sit
ansigt pænt med
sæbe!

26

Vasker du også
hænder og ansigt
hver dag?

Hvilken farve har
din tandbørste?

Så gik Jakob og
Joakim ind til
fødselsdagsbordet.
»Jeg er slet ikke
sulten,« sagde
Joakim, »må jeg
pakke gaven ud
nu?«
»Ja,« sagde Jakob.

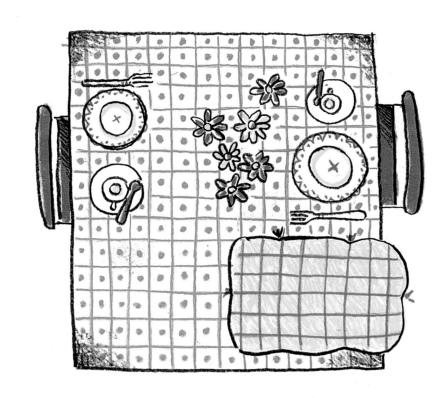

27

Inde i pakken lå en dejlig
skoletaske, og inde i skoletasken lå
der en masse ting. Nu skal du høre,
så kan du pege på tingene:

en ABC-bog

et rødt pennalhus

en blå kuglepen

to gule blyanter

et grønt viskelæder

en blå blyantspidser

to røde vitaminpiller

en stor madpakke

to gulerødder

»Pak din skoletaske,« sagde Jakob,
»for du skal gå om lidt.«

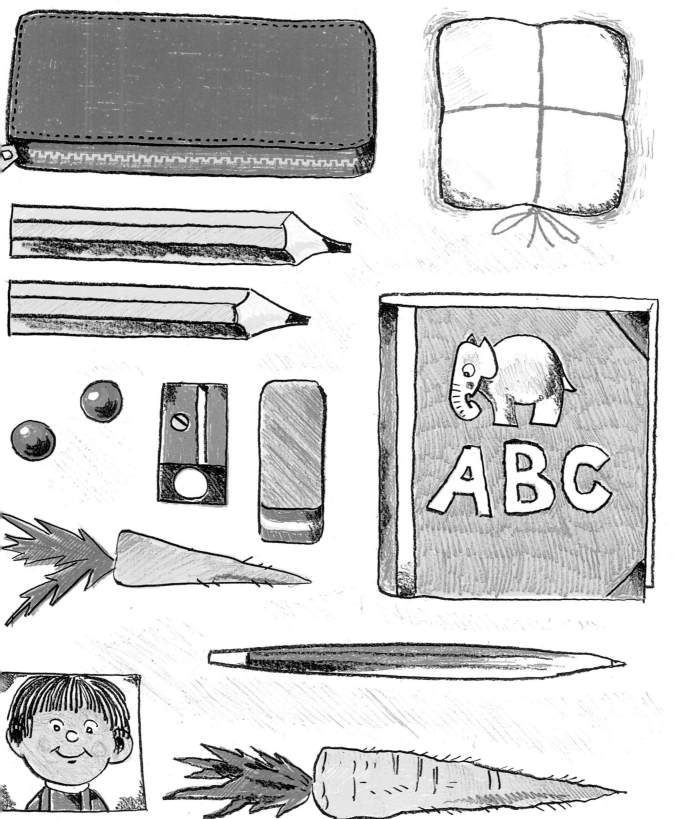

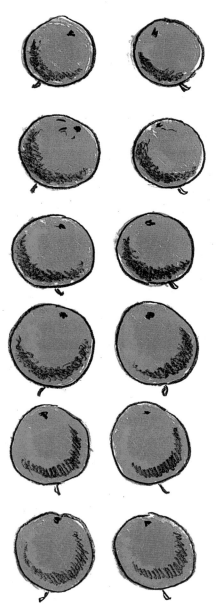

»Skal jeg ikke have bolsjer
med til at dele ud henne
i skolen?« spurgte Joakim.
»Hvad vil du helst have med?«
spurgte Jakob. »Vil du have
bolsjer, som man får dårlige
tænder af – eller vil du have
dejlige røde æbler, som man
får røde kinder af?«
»Æbler,« sagde Joakim.
Hvad vil *du* helst have med?

Klokken halv otte
gik Joakim hjemmefra.
»Gå nu forsigtigt og
pas på, du ikke bliver
kørt over,« sagde
Jakob. »Ja,« sagde Joakim.

31

Henne ved søen mødte Joakim den lille søde gris.

»Jeg skal også i skole i dag,« sagde grisen — »skal vi følges ad?«

»Ja,« sagde Joakim.

Inde i skoven mødte de de tre små pindsvin.

»Må vi også gå med jer i skole?« spurgte de tre pindsvin.

»Ja,« sagde grisen.

»Ja,« sagde Joakim.

Oppe ved træet sad to
sorte fugle. »Må vi gå
med jer i skole?«
»Ja,« sagde de tre pindsvin.
»Ja,« sagde grisen.
»Ja,« sagde Joakim.

Henne ved de store sten
kom den gamle ugle frem.
»Må jeg gå med jer i
skole?« spurgte uglen.

»Ja,« sagde de to sorte
fugle.
»Ja,« sagde de tre pindsvin.
»Ja,« sagde grisen.
»Ja,« sagde Joakim.

Imellem de høje træer
stod giraffen og ventede.
»Må jeg gå med jer i
skole?« »Ja,« sagde både
de to sorte fugle og de
tre pindsvin og grisen og
Joakim.

»Halløj – « råbte musene,
»tag os med!«
»Ja,« råbte de alle
sammen.

De gik ikke i ret lang
tid, før de kunne se skolen.
»Den ligner et lokomotiv,«
råbte Joakim.

35

Alle dyrene skyndte sig ind i klassen
og fandt et skolebord at sidde ved.
Nu sad de godt. Hvem kom til at
sidde helt alene?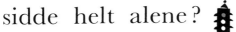

Skolefrøkenen hed Lotte. »Goddag,« sagde hun.
»Det er Joakims fødselsdag i dag,« råbte grisen —
»må vi få en historie?« »Næh,« sagde frøkenen,
»vi skal synge en lille sang i stedet for!«   37

Tingelingelater Tinsoldater

Blymatroser Bom me lomme lom

Se til højre se til venstre

hele regimentet drejer om

Nu er klokken blevet mange

vi må se at komme hjem

ellers bli'r vor moder bange

Tingelingelater om igen

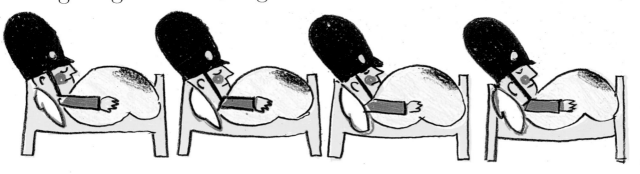

Dingelingeling, sagde klokken.
»Så er timen forbi,« sagde frøken Lotte,
»nu skal I ud i gården og lege.«

Alle dyrene skyndte sig ned i gården
for at lege!

Dingelingeling, sagde klokken.
»Nu begynder regnetimen,« råbte
frøken Lotte. »Kom ind i klassen igen
og sæt jer på jeres pladser.«

Kan du finde ud af, hvor dyrene skal
sidde?

Lidt efter sad de alle sammen på deres pladser.

»Skal vi ikke regne nogle regnestykker, inden Joakim deler bolsjer ud,« råbte uglen.

»Jeg skal slet ikke dele bolsjer ud,« sagde Joakim – »jeg skal dele æbler ud i stedet for.«

»Jeg synes, vi skal regne nogle regnestykker først,« sagde frøken Lotte. Og så regnede de.

$$1 + 1 = 2$$
$$2 + 2 = 4$$
$$3 + 3 = 6$$
$$4 + 4 = 8$$
$$5 + 5 = 10$$
$$6 + 6 = 12$$
$$7 + 7 = 14$$
$$8 + 8 = 16$$
$$9 + 9 = 18$$
$$10 + 10 = 20$$

FRU FIK NYE

EN KAN LIDE

VI SÅ EN GAMMEL

MIN DEN KAN GI POTE

STOD PÅ

EN OG EN

SPILDTE PÅ

KYS DIN PÅ REJSEN

EN BLEV SPIST AF

INGEN MÅ LYVE

»Skal vi ikke spise vores mad, inden
Joakim deler bolsjer ud?« råbte de
tre pindsvin.

»Jeg skal slet ikke dele bolsjer ud,«
sagde Joakim, »jeg har æbler med i
stedet for – det har jeg jo sagt.«

»Jeg synes, vi skal spise vores mad
først,« sagde frøken Lotte.
Og så spiste de.

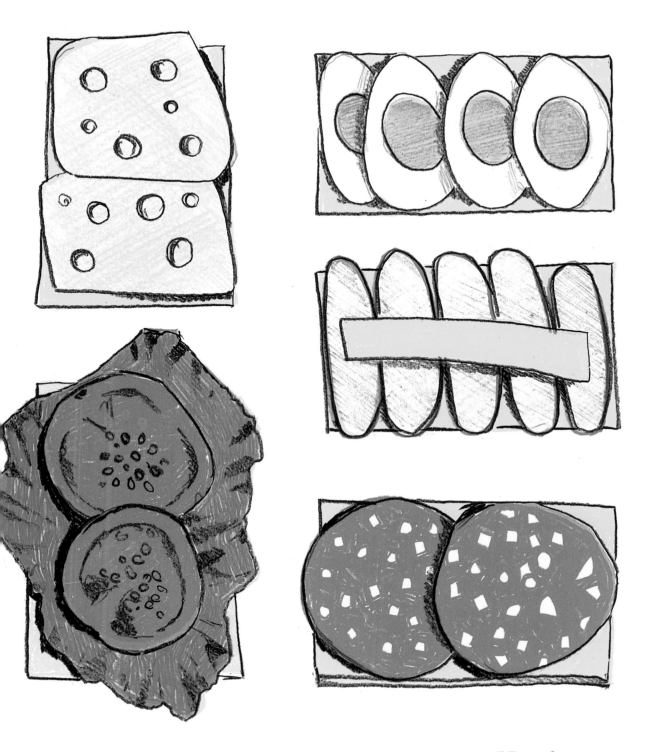

Joakim havde dejlig mad med. Hvad
kan du bedst lide?

Bagefter delte Joakim et æble ud til
dem alle sammen.
Hvor smagte det dejligt!
Kan du se, hvem der først blev færdig
med sit æble?

»Og nu skal vi lege skjul,« sagde
frøken Lotte. Hvordan leger man skjul?

Joakim skal stå. Hvis du vil, kan du
hjælpe Joakim med at stå. Du kan stå
henne ved plankeværket og tælle

    10 — 20 — 30

mens dyrene gemmer sig.

    10 — 20 — 30 — 40 — 50
    60 — 70 — 80 — 90 — 100
    Nu kommer jeg!!

49

Kan du hjælpe Joakim med at finde
ud af, hvor alle dyrene har gemt sig?

51

»Så er skolen forbi for i dag,« sagde
frøken Lotte. »Nu skal I alle sammen
hjem og lege – farvel og tak.«

»Farvel frøken Lotte,« sagde Joakim
     og grisen
     og de tre pindsvin
     og uglen
     og de to fugle
     og giraffen
     og musene
» – og tak for i dag.«

Joakim skyndte sig hjem fra skole, men da han kom til den lille blå se k han sådan en lyst til

at løbe en tur rundt om søen.

Lidt efter var Joakim hjemme igen.
Jakob stod i døren. Hvad var det
nu vejen hed, som Joakim boede på?

»Hvordan er det gået i skolen i dag?«
spurgte Jakob. »Godt,« sagde Joakim.
»Vi har sunget – regnet – spist mad
– spist æbler – leget skjul, og vi har fri
i morgen, og vi har ingen lektier for.«
»Det var heldigt,« sagde Jakob.

Resten af dagen legede Joakim.
Hvad tror du, Jakob lavede imens?

Og da de havde spist, fik Joakim lov
til at se lidt fjernsyn, inden han
skulle i seng.
Vil du også se fjernsyn?

Du må gerne åbne for fjernsynet.
Hold siden op mod lyset.

God nat og
sov godt.
På gensyn i
morgen.